G000075655

Dans la même collection

ISBN 2-07-039502-2
© Éditions Gallimard, 1983
1er dépôt légal: Septembre 1983
Dépot légal: Mars 1986. Numéro d'édition: 37181
Imprimé par la Éditoriale Libraria en Italie

LE LIVRE DE LA TOUR EIFFEL

COLLECTION DECOUVERTE CADET

Sylvie Girardet,
Claire Merleau-Ponty,
Anne Tardy
(Le Musée en Herbe)

illustrations de
Nicole Claveloux

GALLIMARD

Pour des milliers de personnes dans le monde entier la tour Eiffel signifie Paris. Ce drôle de monument qui ne ressemble à aucun autre est devenu le symbole de la capitale de la France. Tous les touristes qui achètent tant de petits souvenirs en forme de tour Eiffel ou à son image (foulards, broches, porte-clefs, bouteilles de parfum, crayons, canifs, cuillers, cendriers, salières, poudriers, porte-monnaie… et tant d'autres choses encore) veulent emporter un petit peu de Paris dans leur valise quand ils regagnent leurs pays.

Tricotée en fil de fer,
En fil de lin, en diamant,
En barbelés, en fer-blanc,
Points à l'endroit, à l'envers,

Tour Eiffel,
File, file, file,
Tour Eiffel,
File jusqu'au ciel.

Tressée en Diable-Vauvert,
En saindoux, en cerf-volant,
En chaînette, en vol-au-vent,
En nylon, en courant d'air,

Tour Eiffel,
Folle, folle, folle,
Tour Eiffel
Folle jusqu'au ciel.

Jacques Charpentreau

Ce livre appartient à

. . . .

Monuments-symboles

1

2

3

La tour Eiffel est le symbole de Paris.
Savez-vous de quels pays ou de quelles villes ces monuments sont les symboles ?
Vérifiez vos réponses en retournant votre livre.

Réponses :

9

Le rez-de-chaussée

Voici la tour Eiffel telle qu'elle était en 1889 lorsqu'elle venait de naître. Depuis, elle n'a pas beaucoup changé.

La tour, qui ressemble à une grande girafe toute percée, n'est pas si vide qu'elle en a l'air... Elle abrite toute une vie et chacun de ses étages a ses petites spécialités !

A la base des piliers, il y a des bureaux où travaillent les ingénieurs qui entretiennent la tour Eiffel.

Il y a aussi une salle où l'on peut visiter les machineries des ascenseurs. C'est très impressionnant : on y voit des grands pistons hydrauliques et d'immenses poulies. Ce sont les machines d'origine.

L'installation des ascenseurs a posé des problèmes délicats à Gustave Eiffel, le constructeur de la tour. Ces engins étaient d'invention toute récente et il fallait les faire monter jusqu'à 300 m de haut, et en biais qui plus est !

Les problèmes ont été résolus mais nombreux ont été les visiteurs qui, à l'époque, par manque de confiance, ont préféré escalader les 1 710 marches plutôt que de se risquer dans ces engins diaboliques.

Le premier étage

Le premier étage de la tour Eiffel est destiné aux gourmands ! On y trouve des restaurants, à l'origine il y en avait quatre : un français très réputé, *l'Alsace Lorraine*, un russe et un bar anglo-américain.

Gustave Eiffel était paraît-il gros mangeur et il ne manquait pas une occasion pour y organiser des repas et y inviter des célébrités.

Pendant quelques années, un de ces restaurants a été transformé en théâtre. Il était du plus grand chic d'aller assister au spectacle à 60 m d'altitude !

Menu d'inauguration
de la tour Eiffel

Crème d'écrevisse Saint-Germain
Rissoles Lucullus – Tartelettes Conti
Saumon sauce indienne
Turbo sauce normande
Quartier de marcassin Moscovite
Poulardes Périgourdine
Homards Bordelaise
Chaufroids de Becfigues
Granités fine champagne
Paons truffés
Rocher de foie gras – Salade russe
Asperges sauce Mousseline
Glace Eiffel – Glace Centenaire
Gaufrettes – Gâteau millefeuille
Gâteau napolitain
Vins.

Le deuxième étage

Au deuxième étage il y a également des restaurants. L'altitude creuse l'appétit ! Et aussi quelques boutiques de petits souvenirs...

Mais en 1889 il y avait à ce niveau deux attractions hors du commun : Le journal *Le Figaro* avait installé une imprimerie et le quotidien était fabriqué sur place. Et ceux qui l'achetaient là pouvaient y inscrire leur nom.

Ce journal servait aussi de certificat d'ascension et les acheteurs le gardaient fièrement pour le montrer à leurs amis !

Tous les jours à midi juste, un formidable coup de canon partait du deuxième étage de la Tour Eiffel et donnait l'heure à tous les parisiens. Ceux qui avaient une montre (les privilégiés de l'époque) se dépêchaient de la régler.

Une foule nombreuse venait tous les jours vers midi autour du canon pour voir partir le coup. Beaucoup se bouchaient les oreilles tant le bruit était assourdissant.

15

Le troisième étage

Montons maintenant au troisième étage : il faut beaucoup de souffle car l'escalier est très long, mais quelle belle vue sur Paris !

Ce que l'on ne sait pas toujours c'est qu'il s'y trouve une salle où toutes les émissions radiophoniques et télévisées sont reçues et diffusées dans la France entière.

Il y a aussi différents appareils d'observation scientifiques et une station météorologique.

Tout en haut, Gustave Eiffel s'est fait construire un petit appartement que l'on peut visiter, où il pouvait dormir, travailler et recevoir ses amis.

Un paratonnerre a été installé sur la tour dès sa construction. Dès qu'un violent orage s'abat sur Paris, la tour attire la foudre. Elle remplace à Paris le clocher du village.

Par grande chaleur, la tour bouge légèrement : le soleil dilate la tour et son sommet peut se déplacer de 18 centimètres.

Haute tension
700 000 volts
Accumulateurs d'influx nerveux
L'aiguille en platine de la Tour Eiffel
Crève l'abcès des nuages

Yvan Goll

17

En regardant vers l'Est

De la tour Eiffel, la vue sur Paris est très belle. Par temps clair, on peut apercevoir les environs de la capitale jusqu'à 80 kilomètres.

Imaginez que vous vous trouvez au sommet de la tour avec des jumelles et essayez de reconnaître les principaux monuments de Paris. Retournez votre livre et vérifiez vos réponses.

Fille de France
Qu'est-ce que tu vois là-haut ?
Vincente Huidobro

Réponses :

1. Notre-Dame. 2. Panthéon. 3. Église Saint-Germain-des-près. 4. Centre Georges Pompidou. 5. Tour Maine-Montparnasse. 6. Église Saint-Sulpice. 7. Tour Saint-Jacques.

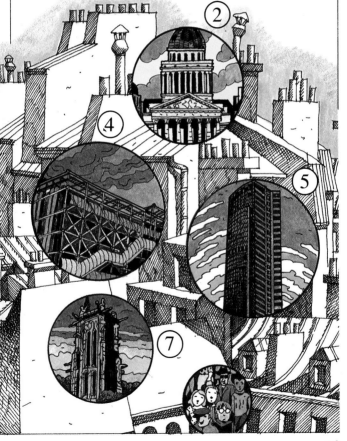

19

En regardant vers le Nord

On voit la Seine qui dessine de jolies courbes et qui enferme deux îles : l'île de la Cité et l'île Saint-Louis. Et quelle surprise de découvrir que Paris n'est pas plat mais parsemé de collines : la montagne Sainte-Geneviève, la butte Montmartre, les Buttes-Chaumont et la plus haute (136 m) le mont Valérien.

La Tour Eiffel, la place Blanche, Notre Dame,
les boulevards et les belles Madames
Tu l'reverras Paname.

Roger Myra et Robert Dieudonné

Réponses :

1. Basilique du Sacré-Cœur. 2. Opéra. 3. Grand Palais.
4. Louvre. 5. Arc de Triomphe. 6. Palais de Chaillot.
7. Invalides.

Gustave Eiffel

Voici Gustave Eiffel, le petit homme qui a construit la tour. Loin d'être un géant il mesure 1,64 m. Vif et barbu, il a des yeux bleus malicieux et les joues roses.

Très coquet et toujours bien habillé, on le reconnaît facilement à sa redingote, sa canne et son chapeau haut-de-forme qu'il quitte rarement. Il fume volontiers la pipe. C'est un grand sportif, il manie l'épée tous les matins, fait souvent de l'aviron et adore nager : à la suite d'un pari il a traversé la capitale à la nage en suivant le cours de la Seine et quand il danse la Polka tout le monde l'admire !

Gustave a failli se spécialiser dans le vinaigre. Sa famille voulait qu'il succède à son oncle Mollerat, le génial inventeur du vinaigre du même nom.

Gustave Eiffel en famille

Le bâtisseur de la tour Eiffel est né à Dijon le 15 décembre 1832 sous le nom de Gustave-Alexandre Boenickhausen. Il s'en est fallu de peu que la tour Eiffel ne s'appelle la tour Boenickhausen !

Son père était militaire et sa mère une formidable femme d'affaires. Il a été élevé par sa grand-mère dans une belle maison qui sentait bon la cire et les confitures. Gustave est un enfant sage, ce qui ne l'empêche pas de faire quelques bêtises ! Mais voici ce que ses professeurs disaient de lui : « Un bon petit élève studieux et appliqué. »

Dès l'âge de 10 ans, Gustave a envie de bâtir. Il se met à construire des petits moulins au bord d'un ruisseau. Il fait ses études dans une grande école d'ingénieur et quelques années plus tard, il construit son premier pont à Bordeaux.

Il a cinquante ans lorsqu'il entreprend la construction de la tour Eiffel. A la fin de sa vie, il deviendra un savant et fera considérablement avancer les sciences de la météorologie et de l'aérodynamique.

On le voit ici avec sa femme Marie et ses cinq enfants, Claire, Laure, Edouard, Albert et Valentine.

Il meurt à l'âge de 91 ans, laissant derrière lui de nombreux petits-enfants tous fiers de leur aïeul et une « grande fille », la tour Eiffel.

Gustave Eiffel a réalisé de nombreuses constructions dans le monde entier : des gares, des usines, un observatoire. Mais Eiffel est avant tout un génial constructeur de ponts. On lui en doit plus de cinquante dans de nombreux pays : France, Espagne, Portugal, Viêt-nam, Roumanie, Egypte, Suisse.

La gare de Madrid

La statue
de la Liberté

Son chef-d'œuvre est le pont de Garabit qu'il a construit en France dans le Massif central. Les deux bras de l'immense arche grimpent en biais simultanément. Vont-ils se rencontrer ? Mais Gustave Eiffel n'a fait aucune erreur de calcul, ils s'ajustent au millimètre près !

Le pont de Garabit

Un pont en Asie

L'âge du fer

Eiffel a été le « magicien du fer ». Mais il ne fut pas le premier à utiliser ce métal dans ses constructions.

L'apparition des chemins de fer, cinquante ans auparavant, a beaucoup développé les techniques de la fabrication du fer. Au XIXᵉ siècle, de nombreux ingénieurs et architectes commencèrent à remplacer la pierre par le fer. Ce matériau très résistant leur permit de réaliser des monuments plus grands, plus hauts, plus variés : des halles, des gares, des ponts et les premiers « buildings » dont l'ossature est en fer.

Le fer se fabrique en usine dans les hauts fourneaux à partir du minerai de fer et de la houille. Le métal en fusion est coulé dans des moules à l'aide d'une grande marmite. Il est ensuite laminé : d'énormes cylindres, les laminoirs, entraînés par une grande roue, compressent le fer réchauffé qui en sort en plaques d'épaisseur variable. On transforme ces plaques en éléments les plus divers, comme des poutrelles de tour Eiffel par exemple.

Charade :
Quelle est la différence entre la tour Eiffel et la Reine d'Angleterre ?
Réponse :

La reine est anglaise (en glaise) et la tour est en fer.

28

Tour Soleil...

Il y a presque 100 ans, le gouvernement français lançait un concours pour la construction d'une tour de 300 m. La gagnante sera l'édifice le plus haut du monde et servira d'entrée triomphale à l'Exposition universelle de 1889, sur le champ de Mars à Paris.

Parmi les centaines de projets proposés par des ingénieurs et des architectes du monde entier, le choix est bien difficile à faire ! Il y a même un projet-farce qui prévoit un monument en forme d'arrosoir utilisable en cas de sécheresse.

Deux tours étonnantes retiennent l'attention : la première est une « colonne de Soleil » qui doit éclairer si bien Paris que l'on pourra jouer aux cartes dans toute la ville à minuit comme en plein jour ! Cette construction sera en pierre et en ciment mais le jury s'inquiète : tiendra-t-elle debout ?

ou tour Eiffel

L'autre tour qui impressionne les éminents professeurs qui composent le jury est, elle, en fer. Ses plans ont été dessinés par Maurice Koechlin et Emile Nouguier qui travaillent dans les ateliers d'Eiffel.

Celui-ci défend son projet avec conviction et remporte le concours. Il recevra un million et demi de francs pour construire la tour Eiffel qui coûtera 7 800 000 F !

La tour Eiffel... ce squelette de beffroi, qui ne survivra pas, bien et mille fois au contraire, aux beffrois archi-centenaires des Flandres françaises et belges...
Paul Verlaine

31

La tour qui monte

J'ai vu pousser la tour Eiffel.
Nous allions la voir en sortant du lycée,
le veston en cœur remonté par la serviette.
... Le cœur serré, nous distinguions au-dessus
de la première plate-forme un halo rouge de travail, une sorte de buée sonore, où l'on voyait de
temps en temps sauter le battant d'un marteau,
pareil à l'envol d'un corbeau qui retombait dans
la poussière.

Léon-Paul Fargue

Tour Eiffel, grandis, monte encore
Dans la lumière et dans l'aurore,
Dans les éthers silencieux.

Théodore de Banville

Au début de l'année 1887, les travaux commencent sur le Champ de Mars, au bord de la Seine. La tour sera terminée 2 ans, 2 mois et 5 jours plus tard. Un record de vitesse pour un si grand monument !

Les fondations

Le 28 janvier 1887, une nuée d'ouvriers s'abat sur le champ de Mars pour creuser les fondations des quatre pieds de la tour.

Eiffel a soigneusement choisi des pierres très dures pour supporter la « grande dame de fer ».

Petit à petit, grâce à des grues et des échafaudages, les quatre piles géantes grimpent en oblique provoquant l'inquiétude générale. Elles se rejoignent très vite pour former le premier étage. Pour fêter cette étape, Eiffel offre un feu d'artifice sur la première plate-forme.

... Et l'on dit
que tout en haut
On verra
jusqu'au Congo...

Léon-Paul Fargue

On croit souvent que les pieds de la tour Eiffel reposent sur l'eau, c'est faux ; cependant, durant les travaux de construction, ses pieds baignaient dans l'eau pour laisser un peu de souplesse et pouvoir corriger les petites erreurs de montage. Une fois la tour terminée, l'eau fut remplacée par du béton.

Les ouvriers acrobates

250 ouvriers participent au chantier extraordinaire de la tour Eiffel, dans des conditions difficiles. Ils travaillent 12 heures par jour au bord du vide, dans le froid et le vent. Malgré les dangers de ce chantier, aucun d'eux n'est jamais tombé, sans doute parce qu'Eiffel avait choisi des charpentiers et des marins, habitués à escalader les toits et les mâts !

Les ouvriers ne sont pas toujours contents. Ils trouvent qu'ils sont mal payés, et il leur arrive de se mettre en grève.

A part ces quelques difficultés, l'ambiance du chantier est bonne, les travailleurs ont conscience de participer à une œuvre exceptionnelle dont le monde entier guette l'achèvement.

Charade :
3 ouvriers sont sur la tour, ils ont oublié leur mètre, à quelle hauteur se trouvent-ils ?
Réponse :

A 300 mètres (à 3 sans mètre).

1 050 846 rivets

Ces quatre ouvriers installés sur un échafaudage en bois sont en train de poser des rivets pour assembler les poutres métalliques. Les rivets sont chauffés à blanc sur un petit poêle, puis introduits dans des trous préparés à l'avance. Leur tête est écrasée pendant que le métal est malléable, afin de les immobiliser.

Les poutres métalliques sont livrées « prêtes à l'emploi » sur le chantier. Elles ont été préfabriquées dans les ateliers d'Eiffel à Levallois-Perret. La tour Eiffel est construite comme un meccano géant !

La tour en chiffres :

Taille en 1889 : 300,51 m.
Taille en 1982 : 320,75 m.
Poids : 9 700 tonnes.
Nombre de marches : 1 710.
Temps approximatif de l'ascension par les escaliers : 45 minutes.
Nombre de pièces en fer : 15 000.

La Tour Eiffel dans la brume
Joue un petit air de marteau
Elle a pris pour enclume
Le soleil dans son bateau

Raymond Queneau

Tour, grand lis fleuri dans l'espace,
Colosse de force et de grâce !

Théodore de Banville

Pour ou contre

La tour Eiffel monte, mais elle ne plaît pas à tout le monde. Une armée d'artistes et d'écrivains partent en guerre contre ce « lampadaire tragique », cette « odieuse colonne de tôle boulonnée ». Ils n'aiment pas « l'inutile et monstrueuse tour Eiffel » et craignent qu'elle n'écrase de sa masse barbare Notre-Dame, le Louvre, l'Arc de Triomphe.

D'autres ont peur qu'elle ne leur tombe sur la tête : c'est le cas de Tancrède Boniface, voisin du chantier, qui intente un procès à Eiffel.

C'est le seul endroit d'où je ne la vois pas !

Guy de Maupassant, sur la tour Eiffel.

La tour a aussi de farouches défenseurs : le célèbre chimiste Chevreul, qui a plus de 100 ans, rend visite chaque jour à la tour en construction. C'est la récompense que lui accorde son cocher s'il a bien déjeuné !

Eiffel défend son monument : il sera beau, colossal et utile, affirme-t-il à qui veut l'entendre.

Chaque jour une foule de badauds s'assemble sous la tour Eiffel ; ils guettent l'ombre de la tour pour voir si elle bouge : « Tombera... tombera pas... ? »

J'ai visité la Tour énorme,
Le mât de fer aux durs agrés.
Inachevé, confus, difforme,
Le monstre est hideux, vu de près.

François Coppée

L'inauguration

Le 31 mars 1889, la tour Eiffel est achevée. Eiffel soulagé et fou de joie l'inaugure dans l'intimité. Lors de cette « fête intime de chantier », un groupe de cinquante personnes attaque, à la suite d'Eiffel, l'ascension de la « grande dame de fer ». Vingt d'entre eux seulement arrivent au sommet, rouges et essoufflés : ils ont escaladé plus de 1 700 marches !

La vue qu'ils découvrent sur Paris achève de leur couper le souffle. Eiffel, ému jusqu'aux larmes, hisse un gigantesque drapeau français et vingt et un coups de canon retentissent pour annoncer la bonne nouvelle : la tour Eiffel est terminée !

Un matin de mars, cependant, la Tour fut prête, cuite à point comme une langouste.

Léon-Paul Fargue

43

Les visiteurs célèbres

La tour Eiffel attire de nombreux visiteurs. On fait la queue pour monter jusqu'au sommet. Après le président de la République française, Sadi Carnot, beaucoup d'hommes illustres font l'escalade. Un gigantesque livre d'or recueille les impressions des visiteurs célèbres ou inconnus :

Eiffel écrit le jour de l'inauguration : « La tour est livrée au public. Enfin ! » Sa nourrice y affirme être « fière d'avoir racommodé les culottes du Gustave ».

On reconnaît aussi la signature du shah de Perse, des rois de Grèce, de Portugal, du Prince de Galles, du roi de Siam, de la famille royale du Japon, d'un roi africain et même celle de Buffalo Bill...

Eiffel,
que j'admire la taille
De ta tour,
Mais Mimi,
combien plus le tour
De ta taille !

Refrain d'époque

45

La reine de l'Exposition

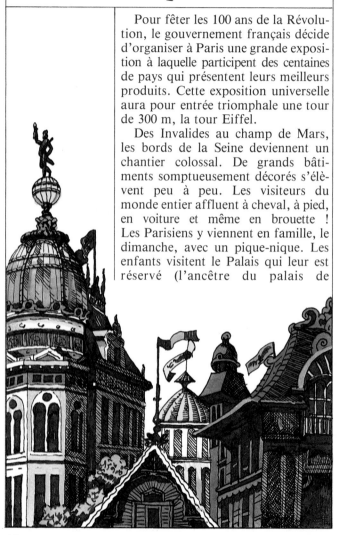

Pour fêter les 100 ans de la Révolution, le gouvernement français décide d'organiser à Paris une grande exposition à laquelle participent des centaines de pays qui présentent leurs meilleurs produits. Cette exposition universelle aura pour entrée triomphale une tour de 300 m, la tour Eiffel.

Des Invalides au champ de Mars, les bords de la Seine deviennent un chantier colossal. De grands bâtiments somptueusement décorés s'élèvent peu à peu. Les visiteurs du monde entier affluent à cheval, à pied, en voiture et même en brouette ! Les Parisiens y viennent en famille, le dimanche, avec un pique-nique. Les enfants visitent le Palais qui leur est réservé (l'ancêtre du palais de

> L'Exposition est le triomphe du fer, non seulement au point de vue des machines mais encore au point de vue de l'architecture...
>
> Paul Gauguin

l'Enfance), pendant que les parents vont admirer les nouvelles inventions au palais des Machines, où les demoiselles des postes font des démonstrations étonnantes avec le tout nouveau téléphone.

Ceux qui aiment l'Orient empruntent un âne qui les conduit sans fatigue rue du Caire où les façades authentiques, le parfum du jasmin et les hommes enturbannés les transportent en Egypte. Beaucoup d'autres merveilles étonnent le public.

14 — Vous admirez le panorama et attendez un tour.

13 — La Tour n'est pas terminée. Retournez à la case départ.

12 — ...vancez ...ois cases

15 — Vous arrivez au deuxième étage.

Le Jeu de l'Oie de la Tour Eiffel
se joue avec un dé et un jeton par
personne :
mettre son jeton sur la case départ,
lancer le dé chacun à son tour
et avancer du nombre de cases
correspondant.
Le gagnant est le premier arrivé
au sommet de la Tour Eiffel.
Bonne chance !

16 — Ceci n'est pas la Tour Eiffel. Attendez un tour.

17 — Vous terminez l'ascension sportivement.

18 — Vous allez tro... Reculez de trois...

1 — Départ.

2 — Vous êtes au pied de la tour.

3 — Eiffel vous pe... de rejou...

La tour-météo

Rien ne faisait plus de peine à Gustave Eiffel que d'entendre dire que sa « tour de 300 m » était inutile. Il était persuadé que la tour servirait la science…

Les travaux à peine terminés, il installe au troisième étage un laboratoire de météorologie qui est encore utilisé de nos jours. Les appareils ont seulement été perfectionnés et modernisés.

Grâce à eux, la Météorologie nationale prédit la pluie ou le beau temps…

Un anémomètre enregistre la vitesse du vent, un thermomètre mesure la température, un hygromètre l'humidité de l'air, un pluviomètre la pluie et une girouette donne le sens du vent (1. baromètre. 2. hygromètre. 3. anémomètre. 4. girouette).

Je suis la rose des vents qui se fane tous les automnes.

Vincente Huidobro

La tour-radio

La tour Eiffel a joué un rôle très important dans l'histoire de la télégraphie sans fil, autrement dit la radio. La première expérience de liaison radio réussie fut réalisée par Ducretet en 1898 : installé au Panthéon, il attend le message qu'Ernest Roger doit lui transmettre de la tour Eiffel. Quelques instants d'excitation et d'inquiétude et oh… miracle, Ducretet entend les sons émis du haut de la tour. La radio est née.

Des années plus tard, pendant la guerre de 1914-18, les messages des ennemis sont captés à la tour Eiffel. L'un d'eux permet d'arrêter la fameuse espionne Mata-Hari. Cette première radio ne reçoit encore que des messages codés en morse. Mais en Juillet 1921, on peut enfin entendre de la musique et des paroles. La première émission de variétés est diffusée le 30 décembre 1921. C'est un événement national !

> C'est la Vénus de fer et d'azur dont les chuchotements se faufilent nuit et jour dans les postes de T.S.F.
>
> Léon-Paul Fargue

Les premiers essais de télévision sont faits du haut de la tour en 1925. Et maintenant encore, la tour Eiffel est l'antenne de la France.

Voici l'alphabet morse. Le point est un signal bref, le trait un signal long.

A l'aide de ce code, vous pouvez vous amuser avec vos amis à envoyer des messages avec un sifflet ou une lampe électrique.

LETTRES

a	.−	i	..	s	...
â	.−.−	j	.−−−	t	−
b	−...	k	−.−	u	..−
c	−.−.	l	.−..	v	...− .
d	−..	m	−−	w	.−−
e	.	n	−.	x	−..−
é	..−..	o	−−−	y	−.−−
f	..−.	p	.−−.	z	−−..
g	−−.	q	−−.−	ch	−−−−
h	....	r	.−.		

CHIFFRES

1	.−−−−	6	−....
2	..−−−	7	−−...
3	...−−	8	−−−..
4	....−	9	−−−−.
5	.....		

La tour-aéro

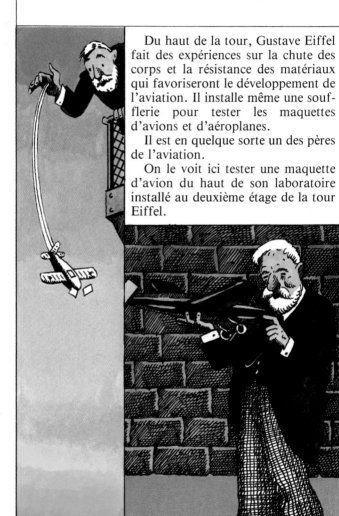

Du haut de la tour, Gustave Eiffel fait des expériences sur la chute des corps et la résistance des matériaux qui favoriseront le développement de l'aviation. Il installe même une soufflerie pour tester les maquettes d'avions et d'aéroplanes.

Il est en quelque sorte un des pères de l'aviation.

On le voit ici tester une maquette d'avion du haut de son laboratoire installé au deuxième étage de la tour Eiffel.

Le meilleur observatoire est le deuxième étage. Au troisième, on est comme en avion : le relief s'aplatit sous le regard.

Pierre Gaxote

La tour-horloge

Vers 1913, le développement des transports, surtout du chemin de fer, nécessite l'unification de l'heure dans le monde entier.

C'est pourquoi la radio de la tour Eiffel diffuse l'heure régulièrement.

Ce qui permet aux pays d'Europe et d'Amérique de régler leur montre en même temps.

Aujourd'hui, la diffusion se fait par satellite.

La tour-médicale

Les médecins envahissent aussi le sommet de la tour Eiffel pour observer la réaction des grimpeurs après l'escalade (accélération des battements du cœur et de la respiration) et l'effet que produit l'altitude sur les sujets !

Ces observations seront utiles pour la recherche médicale encore à ses débuts. On prétend même que le bon air que l'on respire en haut de la tour guérit de la rougeole.

Saisissant la rampe
à poignée,
Etourdi,
saoûlé de grand air,
J'ai grimpé,
tel qu'une araignée,
Dans l'immense
toile de fer.

François Coppée

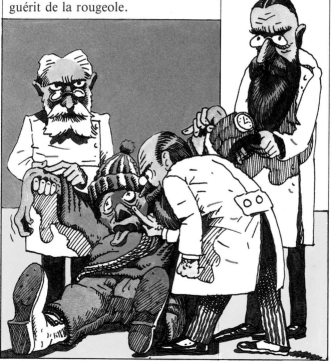

Un pari fou :

La tour Eiffel attire les aventuriers en tout genre et suscite les exploits les plus fous. Pourquoi par exemple ne pas descendre en vélo les 363 marches qui relient le premier étage au sol ? C'est ce que tente et réussit un journaliste, Pierre Labric. Plus tard cet « acrobate » devient le maire de la commune libre de Montmartre et fait cadeau de son vélo au Musée du vieux Montmartre, où il se trouve toujours. Une autre descente sur monocycle fut aussi tentée avec succès.

Un éléphant dans l'escalier

Sur les genoux, sur les mains, sur les épaules d'un ami, le dos aux marches, à cloche-pied, tout est permis aux amateurs de sensations fortes qui veulent faire de l'ascension de la tour un exploit sportif. Un boulanger parisien décide de monter au premier étage sur des échasses !

La tour n'est pas interdite aux animaux : la plus vieille éléphante du Cirque Bouglione, se voit offrir pour son anniversaire (85 ans) une montée sur le prestigieux monument.

Les machines volantes

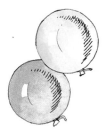

En 1901, le fameux pilote Santos Dumont bat un record aux commandes de son dirigeable : il part des coteaux de Saint-Cloud (à 10 km de Paris), fait le tour de la tour Eiffel et revient à son point de départ en moins de 30 minutes ! Quelques années plus tard, un jeune aventurier décide de passer en avion entre les pieds de la tour pour épater son frère, un dentiste qui habite sur le champ de Mars. Aveuglé par le soleil, il ne peut éviter un câble de T.S.F. et il s'écrase.

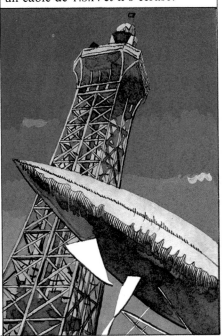

L'homme-oiseau

Voici l'un des aventuriers les plus célèbres de la tour : l'homme oiseau. Il s'appelle Reichel, il est tailleur à Longjumeau et porte de superbes moustaches en guidon de vélo. Il veut sauter du premier étage et pense voler grâce à un étrange attirail fait de voiles, de ressorts et de courroies de cuir. Cela ne suffit pas à lui donner des ailes et le malheureux s'écrase au sol sous les yeux horrifiés des photographes, rassemblés dans le petit matin gris et froid.

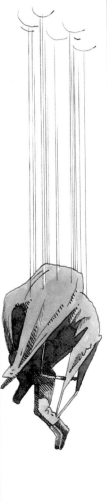

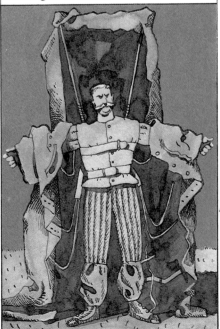

Les tours de truands

La tour Eiffel n'a pas uniquement tenté les sportifs. Elle a également suscité un certain nombre d'escroqueries. Récemment, un Hollandais, marchand de légumes et faussaire à ses heures, prétend qu'il est chargé de la démolition de la tour et réussit à la vendre à une société de récupération de métaux. Il y a quelques années, un autre truand se vante d'avoir découvert une peinture antirouille. Il déclare avoir un contrat pour repeindre la tour et réussit à se faire prêter les 100 000 F nécessaires à la fabrication de la peinture, mais ne tarde pas à s'enfuir en Amérique du Sud avec le magot !

Un poisson d'avril

Enfin en 1960 la très sérieuse Télévision décide d'offrir à ses spectateurs un 1er avril savoureux, en leur annonçant que la tour Eiffel va déménager et enjamber la Seine : 2 pieds sur la rive gauche, 2 pieds sur la rive droite. Tout le monde y croit... pendant 24 heures.

Mais oui, je suis une girafe,
M'a raconté la Tour Eiffel.
Et si ma tête est dans le ciel,
C'est pour mieux brouter les nuages,
Car ils me rendent éternelle.
Mais j'ai bien quatre pieds bien assis
Dans une courbe de la Seine.

Maurice Carême

La Tour Eiffel
A trois cents mètres ;
Du haut en bas
On voit la Seine ;
Pour y monter
Il faut payer
Tous les millions
Qu'elle a coûtés.

Comptine

La tour en fête

La tour Eiffel a besoin d'un coup de pinceau tous les sept ans : une armée de quarante peintres est nécessaire pour recouvrir les 150 000 m² de poutrelles métalliques de 3 500 kg de peinture d'une belle couleur marron chaud.

Feu de poudre brûlera
Rouge ou bleu
et l'on verra
La fusée qui montera
Et en gerbe s'ouvrira

Jean-Pierre Voidies

Pour être plus belle encore la tour explose parfois en feux d'artifice féeriques ou s'illumine de milliers de petites ampoules multicolores. Pendant huit ans, le nom du célèbre constructeur d'automobiles Citroën brille sur la tour en lettres géantes.

Aujourd'hui la Tour Eiffel,
au service d'une publicité tout à fait jolie,
flambe dans la nuit comme une torche d'or.

Pierre Mac Orlan.

Lors d'une exposition universelle, elle est décorée de projecteurs de marine si puissants qu'ils éclairent jusqu'au Havre. Elle s'orne aussi d'un lustre d'un hectare, le plus grand du monde, qui illumine tout le champ de Mars.

Souvenirs en vrac

Dès sa création, la tour Eiffel attire les curieux venus des pays les plus lointains. Ils veulent emporter avec eux une image de ce monument qui les fascine.

Les artisans se mettent au travail et l'image de la tour se répand sur des millions de cartes postales et bien d'autres objets : étiquettes de savon ou de camembert, timbres, jeux de l'oie, calendriers, papiers à lettre, affiches, médailles, ciseaux, cuillères à café, bracelets, cendriers, sonnettes de table, carafes, assiettes, mouchoirs, foulards. Et pourquoi pas une coiffure, un pain, ou une chaussure en forme de tour Eiffel ? L'imagination des amoureux de la tour Eiffel ne connaît pas de limite...

Pour contempler ses traits chéris,
J'ai rapporté d'voyage
Cinquant'bibelots pris à Paris,
Objets d'art et d'ménage.
J'lai sur la pomm'de canne à jour
Qui dans ma main s'dédore.
Quand j'prends ma Tour pour faire un tour
Je la regarde encore.
Tous les soirs, sur un' Tour Eiffel
Je souffle ma chandelle.
A table ell'porte poivre et sel.
Elle orne ma vaissele.
Au bon milieu de mon miroir.
Sur un fond tricolore,
J'ai peint sur la Tour, et quand je veux m'voir,
Je la regarde encore.

Victor Meusy

Les tours de Delaunay

La tour Eiffel fait rêver les peintres et en particulier Robert Delaunay qui a peint cette tour surprenante.

Il est né quatre ans avant sa construction et, jusqu'à la fin de sa vie, il sera hanté par sa silhouette.

Il ne voit pas la tour avec les yeux de tout le monde, comme un monument stable, fixe, dressé sur le ciel. Tout se passe pour lui comme si le vent et la lumière en traversant de part en part la tour transparente la faisaient danser avec les nuages.

Pour représenter cette forêt métallique de 300 mètres de haut, il n'hésite pas à la tordre en tous sens, la casser en mille morceaux, lui couper la tête et les pieds. Ainsi transformée, elle ne ressemble plus à la vraie tour, mais celui qui la regarde a la même impression de vertige que s'il se trouvait aux pieds du monument réel.

Tu es tout
Tour
Dieu antique
Bête moderne
Spectre solaire
Sujet de mon poème
Tour
Tour du monde
Tour en mouvement.

Blaise Cendrars

Et par les vitres de l'hôtel
Ne vois-tu pas la grande roue
Et les beaux nuages que troue
Et déchire la Tour Eiffel
Tristan Dereme

Mille et un tableaux

La tour Eiffel fait rêver beaucoup d'autres peintres. Chagall la représente gaie et aérienne dans son tableau intitulé *Les Mariés de la tour Eiffel*.

Pour Nicolas de Staël, elle a l'allure d'un superbe A majuscule rouge au bord de la Seine couleur de lait.

Qui cherche bien la découvre quadrillée de rouge et de bleu par Bazaine, et perdue dans une brume de points bleus dans le tableau de Signac.

Pol Bury en voit même deux : l'une, rigide, les quatre pieds bien assis ; l'autre sinueuse et dansante, comme prise de folie...

Pol Bury

Tu es le pinceau
qu'il trempe dans la lumière
Blaise Cendrars

Une partie de campagne

Lassés de la voir éternellement plantée aux bords de la Seine, les peintres se plaisent à faire voyager la tour.

Ivan Generalič imagine qu'elle va se mettre au vert et la voilà au milieu d'un troupeau de moutons !

La tour a failli déménager pour de bon : les Canadiens voulaient la faire transporter à Montréal pour leur Exposition Universelle !

Tantôt, tu serais habitée
Par un million d'oiseaux.

Tantôt, tu serais habillée
De fleurs, de feuilles et de fruits.

Tantôt, tu quitterais Paris
Au milieu de la nuit
Pour partir seule sur la mer.

Peut-être aussi penserais-tu
A inviter les Pyramides
Au moins une fois l'an,

Et vous ririez bien ensemble
D'ébahir les Parisiens
Qui ne croient jamais à rien.

Alain Debroise

Bergère, ô Tour Eiffel le troupeau des
ponts bêle ce matin
                    Guillaume Apollinaire

Les métamorphoses de la tour

Chaque Exposition universelle veut marquer ses visiteurs par un monument nouveau qui frappe l'imagination.

En 1900, plusieurs projets ont failli transformer définitivement la tour Eiffel. L'un en une gigantesque sphère, l'autre en une statue de femme aux proportions imposantes et le troisième proposait trois tours au lieu

> Paris dresse sa Tour
> Ainsi qu'une grande girafe inquiète
> Sa tour qui, le soir venu
> Craint les fantômes.
>
> Pierre Mac Orlan

d'une seule. Ce dernier projet a été imaginé par l'architecte Sauvestre qui conçut la tour avec Gustave Eiffel. Les deux tours latérales qu'il voulait ajouter permettaient de dissimuler des ascenseurs.

Aucune de ces fantaisies ne fut réalisée et le clou de l'Exposition 1900 fut la grande roue.

Imaginez que la tour Eiffel a été détruite. On lance un grand concours pour la reconstruire. Transformez-la à votre idée avec vos crayons de couleur.

Les autres imitations de la tour sont toutes de gigantesques antennes de télévision : la tour de Fourvière à Lyon est très proche de son modèle, mais celles qui pointent leurs aiguilles dans le ciel de Russie (Moscou, Tachkent) ou du Japon (Tokyo) sont plus fantaisistes.

Tour de Moscou   Tour de Tokyo

La tour Eiffel a été copiée à plusieurs reprises : lors de sa création s'élevait à Saint-Petersbourg une tour de glace de 60 m de haut, réplique exacte de la tour parisienne. Son existence prit fin avec l'arrivée du printemps et la fonte des neiges !

Tour de Fourvière à Lyon

Tour de Tachkent

De Babylone...

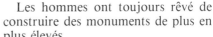

Les hommes ont toujours rêvé de construire des monuments de plus en plus élevés.

La Bible déjà raconte l'histoire de la tour de Babel, une tour immense que les hommes n'ont jamais pu terminer. La pyramide de Chéops, une des sept merveilles du monde, s'élève à 146 mètres. Au moyen-âge, les cathédrales lancent leurs flèches vers le ciel comme un défi.

A partir du XIVe siècle, les rêves d'édifices de très grande hauteur se multiplient. Les ingénieurs et les architectes sont impatients de tester les nouveaux matériaux, comme le fer.

...à Chicago

La tour Eiffel reste pendant quarante ans le plus haut monument du monde, jusqu'à la construction de l'Empire State Building (378 m) à New York.

Aujourd'hui, ce sont les buildings qui montent toujours plus haut à l'assaut des nuages : le Sears Building à Chicago mesure 443 mètres.

Le Mont Blanc
hausse les épaules
en songeant
à la Tour Eiffel
François Coppée

A l'époque de la tour les inventions fleurissent ! La grande nouveauté est l'électricité. Depuis 1881, elle scintille dans Paris.

Essayez de deviner les autres inventions et le nom des grands hommes qui figurent ici.

Pour les réponses, reportez-vous au lexique à S comme Solutions.

Carte d'identité
de la tour

Avec les informations que vous avez glanées dans le livre, transformez-vous en commissaire de police et établissez la carte d'identité de la tour Eiffel.

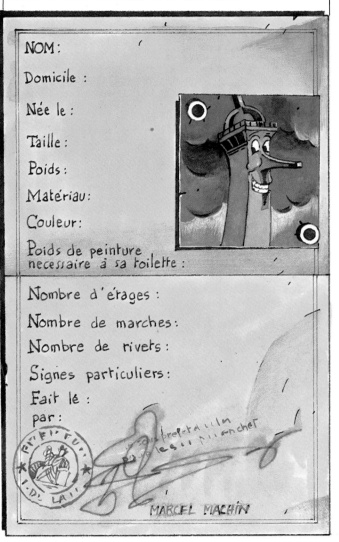

NOM :

Domicile :

Née le :

Taille :

Poids :

Matériau :

Couleur :

Poids de peinture
nécessaire à sa toilette :

Nombre d'étages :

Nombre de marches :

Nombre de rivets :

Signes particuliers :

Fait le :

par :

MARCEL MACHIN

Tour Eiffel
Volière du monde
Chante, chante
Souvenir de Paris
Le géant tendu au milieu
du vide
Est l'affiche de France
Le jour de la victoire
Tu la raconteras
aux étoiles

Vincente Huidobro

Le petit lexique de la tour Eiffel

Aérodynamique

C'est l'étude des corps en mouvement dans l'air. Cette science a été fondamentale lors des débuts de l'aviation (voir pp. 54-55).

Aissa-Ouas

La tribu algérienne des Aissa-Ouas était à l'Exposition Universelle de 1889. Ils pouvaient manger des serpents ou s'enfoncer des sabres dans le corps, sans douleur.

Art nouveau

A l'époque de la Tour, l'« art nouveau » était à ses débuts : le « style nouille » allait orner d'élégantes arabesques et de motifs floraux les entrées du métro, les façades des immeubles, jusqu'aux objets les plus ordinaires.

Bon Marché

C'est Gustave Eiffel qui a construit la verrière du Bon Marché, le premier grand magasin de Paris.

Chaise

En 1889, pour se rendre à l'Exposition Universelle, un gentilhomme tyrolien a fait le trajet du Tyrol jusqu'à Paris en chaise à porteur ! (voir pp. 46-47).

Champ-de-Mars

C'est à l'extrémité de cette vaste esplanade (1 kilomètre de long, 500 mètres de large) que fut choisi l'emplacement de la Tour, face à l'Ecole militaire. Le Champ-de-Mars a servi successivement aux exercices des élèves de l'Ecole, aux premières courses de chevaux et aux Expositions Universelles, dont celle où la Tour fut reine.

Chemins de fer

Cinquante ans avant la construction de la Tour apparaissent les premiers chemins de fer. Cela a énormément favorisé l'industrie du fer (voir pp. 28-29).

Dessins

L'étude du projet de construction de la Tour a demandé l'exécution de 5300 dessins !

Douro

C'est le nom d'un fleuve au Portugal, sur lequel Gustave Eiffel construisit un grand pont, le pont *Maria Pia*.

Halles

Les halles sont des marchés couverts qui ont été parmi les premiers bâtiments construits en fer et en verre (voir pp. 28-29).

Edison

Il fut l'ami d'Eiffel ainsi que l'inventeur du phonographe et de l'ampoule électrique (voir pp. 84-85).

Eifel

Eiffel a pour homonyme le nom d'une région en Allemagne, mais celle-ci ne prend qu'un seul *f*.

Ferrier

Le Général Ferrier utilisa la radio de la Tour pour les armées, à partir de 1903 (voir pp. 52-53).

Ferrubrou

La Tour est recouverte d'une peinture couleur « Ferrubrou » à base de jaune de chrome et d'oxyde de fer (voir p. 64).

Gounod

Ce musicien n'aimait pas la Tour. Puis il a finalement été conquis par le monument et y a improvisé un *Concerto dans les nuages*.

Grande roue

Si la Tour avait été la Reine de l'Exposition universelle de 1889, elle eut l'exposition suivante une rivale : la grande roue, gigantesque manège de fer qui transportait ses wagons à plus de 100 mètres de haut.

Grimpeurs

En mai 1964, pour fêter le 75e anniversaire de la tour Eiffel, dix alpinistes grimpèrent à l'assaut des 300 mètres de croisillons et de poutrelles.

Hauteurs

Le premier étage de la tour Eiffel est situé à 57,68 m du sol, le deuxième à 115,75 m et le troisième à 276,30 m.

Index

Celui de la *Statue de la Liberté*, dont le squelette en fer est une réalisation de Gustave Eiffel, mesure 2 mètres quarante cinq.

Jambe-de-laine

C'était le surnom d'un des ouvriers-acrobates de la Tour (voir p. 37).

Justice

Les habitants du Champ-de-Mars furent les plus farouches opposants à la construction de la Tour. Ils craignaient qu'elle ne s'effondre sur leurs toits. Les tribunaux furent saisis de l'affaire. Eiffel dut engager sa propre responsabilité pour pouvoir continuer les travaux.

Koechlin

C'est le nom de l'ingénieur qui a dessiné le premier plan de la Tour (voir pp. 30-31).

Lycée

Le Lycée Carnot à Paris a été en partie construit par Gustave Eiffel. Il a même conçu les bancs et les tables.

Machineries

Les machineries servant à propulser le célèbre Nautilus de Jules Verne, contemporain de Gustave Eiffel, dans *Vingt mille lieues sous les mers*, sont très semblables à celles qui actionnent les ascenseurs de la Tour.

Meccano

Avant les jouets de construction bien connus, Gustave Eiffel conçut des ponts, des gares et sa tour comme des meccanos géants, selon lui aussi faciles à démonter qu'à faire tenir debout. Ses plans étaient en effet si précis que chaque pièce s'ajustait au millimètre près.

Métropolitain

C'est à l'époque de la Tour que furent creusés les premiers tunnels pour le Métro.

Miss tour Eiffel

Lors des cérémonies du cinquantenaire de la Tour, eut lieu l'élection d'une Miss tour Eiffel.

Moutons

En 1981 les bergers du Larzac menèrent leurs moutons paître entre les pieds de la Tour en guise de protestation.

Nasser Eddin

C'est le nom du Roi des rois et Shah de Perse qui monta sur la Tour le 1er août 1889 (voir pp. 44-45).

Or

De l'or en barres est un film qui raconte un trafic de petites Tours Eiffel en or.

Non le livre d'or que vous voyez p. 45 n'est pas en or mais c'est un livre dans lequel les visiteurs de la Tour écrivent leurs impressions.

Panama

Gustave Eiffel a été injustement impliqué dans le scandale du canal de Panama.
Il fut condamné à deux ans de prison puis grâcié.

Paratonnerre

Au cours de violents orages, le paratonnerre situé au sommet de la tour Eiffel peut ociller de plusieurs centimètres. L'électricité de la foudre est conduite par des tuyaux de fonte jusqu'au fond de la Seine.

Points cardinaux

Chacun des quatre pieds de la tour est situé exactement au nord, au sud, à l'est et à l'ouest.

Poubelle

C'est le Préfet de police qui a signé le contrat de Gustave Eiffel pour construire la Tour. Il a aussi laissé son nom aux boites à ordures de son invention.

Quotidien

Quel est le nom du quotidien imprimé sur la tour Eiffel pendant l'Exposition Universelle de 1889 ? S'il vous a échappé, reportez-vous à la p. 15.

Record

La tour Eiffel est restée jusqu'en 1929 le plus haut édifice du monde avant d'être dépassée de 13,51 m par le Chryster Building de New York (313 m).

Rivets

Il ne faut jamais dire que les poutrelles de la Tour sont fixées entre elles par des boulons ! Ce sont en réalité des rivets (voir pp. 38-39).

Saindoux

En saindoux ou en sucre on a fait des tours Eiffel en tous genres (p. 66-67).

Santos Dumont

Ce pilote brésilien fut un pionnier de l'aviation (voir pp. 60-61).

Solutions

des pp. 82 – 83

1. Le cinématographe des frères Lumière (1895).

2. Le peintre Cézanne (1839-1906).

3. Pasteur et la vaccination contre la rage (1885).

4. L'« affaire Dreyfus » (1894).

5. Van Gogh. *Autoportrait à l'oreille coupée* (1889).

6. Mort de Victor Hugo (1885).

7. Début de l'aviation (Clément Ader).

8. Mort du Général Boulanger (1891).

9. Découverte de l'aspirine, Gerhardt (1853).

10. Le phonographe, Edison (1878).

11. Le téléphone, Graham Bel (1876).

12. Instruction primaire obligatoire, Jules Ferry (1882).

Télévision

Depuis 1959, la tour Eiffel comporte à son sommet une antenne de télévision, ce qui a fait passer sa hauteur de 300 à 320,75 mètres.

Tours

Il existe toutes sortes de *tour* : *tour* du monde, *tour* de cartes, *tour* de potier, *trois petits tours et puis s'en vont, à tour de bras, tour à tour, tour* de magie, parler *à son tour*. A votre tour d'en trouver d'autres.

Universelle

La première Exposition Universelle date de 1855, la dernière de 1937. La prochaine aura lieu en 1989 pour fêter le bicentenaire de la Révolution française.

Utrillo

Maurice Utrillo est un des nombreux peintres de la tour Eiffel qu'il a représenté sous tous ses angles. Né à la Butte-Montmartre à Paris en 1883, il est le fils du célèbre peintre Suzanne Valadon.

Van Dongen

Un mot de ce célèbre peintre : « *pour raser la tour Eiffel, s'adresser à un coiffeur.* »

Wright

C'est le nom de l'avion piloté par le Comte de Lambert, venu planer au-dessus de la tour Eiffel en octobre 1909.

X

Il y en a des milliers sur la Tour. Ce sont les croisillons des poutrelles métalliques. La technique de cette dentelle de fer se nomme *poutre en treillis*.

Yeux

Quelle est la couleur de ceux de Gustave Eiffel ? Si ce détail ne vous a pas frappé, reportez-vous à la p. 22.

Zeppelin

C'est un ballon dirigeable, du nom de son inventeur. A bord de l'un d'eux, le pilote brésilien Santos Dumont fit le tour de la Tour (voir p. 60).

91

Biographies

Le Musée en Herbe, créé par les auteurs de ce livre, est un musée tout spécialement destiné aux enfants. Deux expositions par an présentent des œuvres d'art sorties des musées dans un contexte gai et adapté à un jeune public. Tout est exposé à hauteur d'enfants. Des jeux de piste et des manipulations leur apprennent à découvrir seuls toutes ces « merveilles » tout en s'amusant. Et des ateliers transforment les visiteurs en jeunes artistes.

La Tour Eiffel a été la vedette d'une exposition. (« Léonard de Vinci », « Les Masques », « Autour d'un tableau », « Champs de Berchères » et « Le Musée Imaginaire de Tintin »... ont fait l'objet d'autres expositions). Au Musée en Herbe, l'art devient un ami familier.
Musée en Herbe, Jardin d'Acclimatation, Bois de Boulogne, 75116 Paris.

Nicole Claveloux a étudié le dessin aux Beaux-Arts de Saint-Etienne où elle est née. Ses sujets favoris : les cafetières avec des pieds, les bébés, les macaronis malades et les bigorneaux.

Table des poèmes

Éditeur). **42.** Léon-Paul Fargue, « Un matin de mars… » (« La Tour Eiffel »,
Le Piéton de Paris, Gallimard, 1939). **47.** Paul Gauguin, « L'exposition est le
triomphe… » *(Le Moderniste illustré*, 4 et 11 juillet 1889). **51.** Vincente
Huidobro, « Je suis la rose des vents… » (« Tour Eiffel ». Poème dédié à
Delaunay, Éd. Champ Libre, 1917). **53.** Léon-Paul Fargue, « C'est la Vé-
nus… » (« La Tour Eiffel ». *Le Piéton de Paris*, Gallimard, 1939). **55.** Pierre
Gaxotte, « Le meilleur observatoire… », (« Le salon de Monsieur Eiffel »,
Chronique du Figaro, du 16 novembre 1958). **57.** François Coppée, « Saisissant la rampe… » (« Sur le deuxième plateau de la Tour Eiffel », *Poésies*,
Alphonse Lemerre Éditeur). **63.** « La Tour Eiffel… » *(Les Comptines de
langue française*, Éd. Seghers) . Maurice Carême, « Mais oui… » (Extrait du
poème « La Tour Eiffel », *Le Mât de Cocagne*, Éd. Ouvrières, Paris). Avec
l'aimable autorisation de la Fondation Maurice Carême, tous droits réservés).
64. Jean-Pierre Voidies/Ovida Delect, « Feu de poudre… » (« 14 Juillet »,
Par la Plume du ballon bleu, Roger Maria Éd., 1975). **65.** Pierre Mac Orlan,
« Aujourd'hui la Tour Eiffel… », « La Tour, Javel et les Bélandres », *Villes*,
Gallimard, 1929. **67.** Victor Meusy, « Pour contempler… » (Chanson de
1889). **68.** Blaise Cendrars, « Tu es tout », (« Tour », *Du Monde entier*, Éd.
Denoël, 1947). **69.** Tristan Derème, « Et par les vitres… » *(La Verdure dorée*,
Émile Paul, Éd.). **71.** Blaise Cendrars, « Tu es le pinceau… » (« Tour », *Du
Monde entier*, Éd. Denoël, 1947). **72.** Alain Debroise, « Tantôt… » *(Motus*,
© Alain Debroise). **73.** Guillaume Apollinaire, « Bergère… » (« Zone »,
Alcools, Gallimard). **75.** Pierre Mac Orlan, « Paris dresse sa Tour… » (« Infla-
tion sentimentale », *Poésies documentaires complètes*, Gallimard, 1954. **81.**
François Coppée, « Le mont Blanc… » (« Sur la Tour Eiffel », *Poésies*,
Alphonse Lemerre Éditeur). **86.** Vincente Huidobro, « Tour Eiffel… » (Dédié
à Delaunay, Éd. Champ Libre, 1917).

Table des reproductions

69. Delaunay, *Champ-de-Mars, La Tour rouge*, 1911. Chicago Art Institute.
Photo Lauros-Giraudon. **70.** Pol Bury, *Deux Tour Eiffel*. Musée d'Art
Moderne, Paris. Photo Bulloz. **71.** Bazaine, *L'enfant des bords de Seine*,
1946. Collection particulière, Suisse. Photo Galerie Louis Carré. Signac,
Seine-Grenelle, 1890. Collection particulière, Helsinki. Photo Giraudon,
© by Spadem 1983. Nicolas de Staël, *La Tour Eiffel*. 1954. Musées Natio-
naux. Donation Lévy. Photo Giraudon. Chagall, *Les mariés de la Tour Eiffel*,
1928. Collection particulière, Paris. Photo Giraudon. **73.** Ivan Generalic, *Les
vaches devant la Tour Eiffel* (huile sur verre), 1972. Galerie d'Art naïf,
Hlebine, Yougoslavie.

Nous remercions Messieurs les Auteurs et Éditeurs qui nous ont autorisés à
reproduire textes ou fragments de texte dont ils gardent l'entier copyright
(texte original ou traduction). Nous avons par ailleurs, en vain, recherché
les héritiers ou éditeurs de certains auteurs. Leurs œuvres ne sont pas
tombées dans le domaine public. Un compte leur est ouvert à nos éditions.